Yr Wyc

A a

anrheg

B b

balŵn

C c

clown

Ch ch

chwaer

D d

dolffin

Dd dd

y ddafad

E e

eliffant

F f

fan

Ff ff

fflamingo

G g

gwrach

Ng ng

fy ngwely

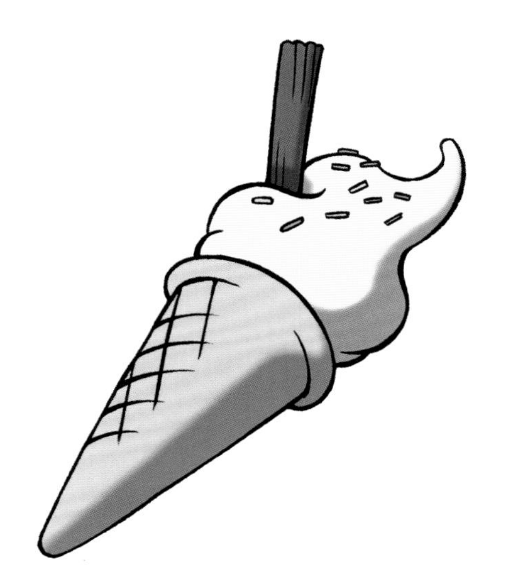

H h

hufen iâ

I i

iglw

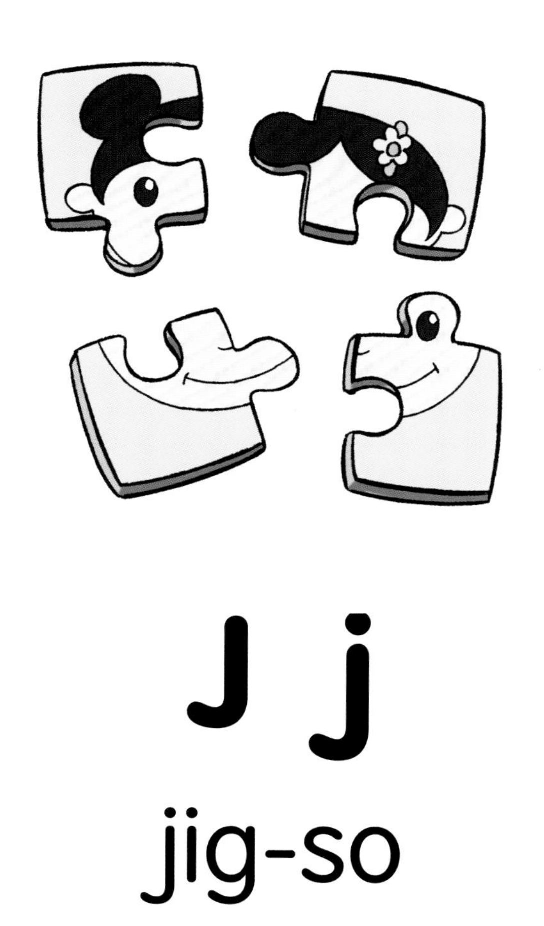

J j

jig-so

L l

lama

Ll ll

llew

M m

mochyn

N n

neidr

O o

octopws

P p

plismon

Ph ph

bat a phêl

R r

robin

Rh rh

rhuban

S s

sanau

T t

tractor

Th th

ei thŷ

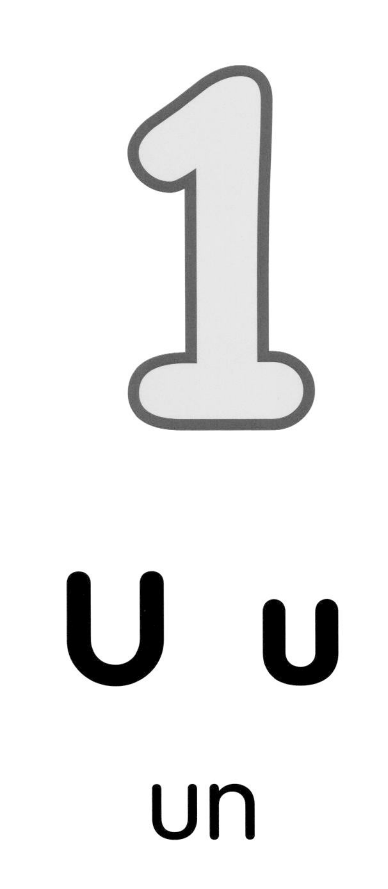

U u

un

W w

welis

Y y

ymbarél

A a	**B** b	**C** c	**Ch** ch	**D** d
Dd dd	**E** e	**F** f	**Ff** ff	**G** g
Ng ng	**H** h	**I** i	**J** j	**L** l
Ll ll	**M** m	**N** n	**O** o	**P** p
Ph ph	**R** r	**Rh** rh	**S** s	**T** t
Th th	**U** u	**W** w	**Y** y	

Hwre!

Mae'n amser troi'r llyfr.

Pi-po!

Mae'n amser troi'r llyfr.

1
2
3
4
5
6
7
8
9
10
11
12

Dyma dŷ un drws ac un simnai. Cyfrwch y ffenestri.

Sawl tŷ sydd yn y rhes hon?

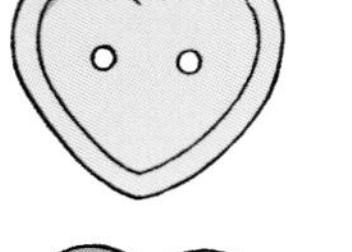
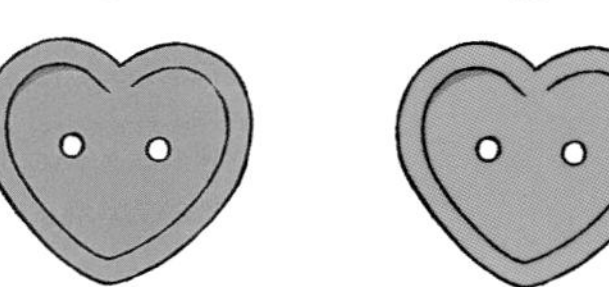

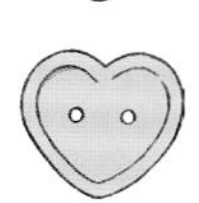

Cyfrwch y calonnau.
Sawl calon binc welwch chi?

Cyfrwch y cwpanau.
Sawl smotyn welwch chi ar y cwpanau?

Cyfrwch yr hetiau.
Sawl het felen welwch chi?

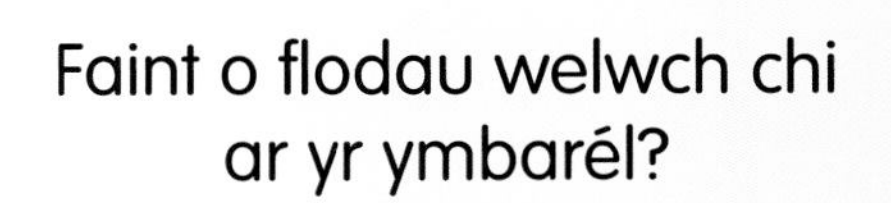

Faint o flodau welwch chi
ar yr ymbarél?

Tic, toc – sawl cloc welwch chi?

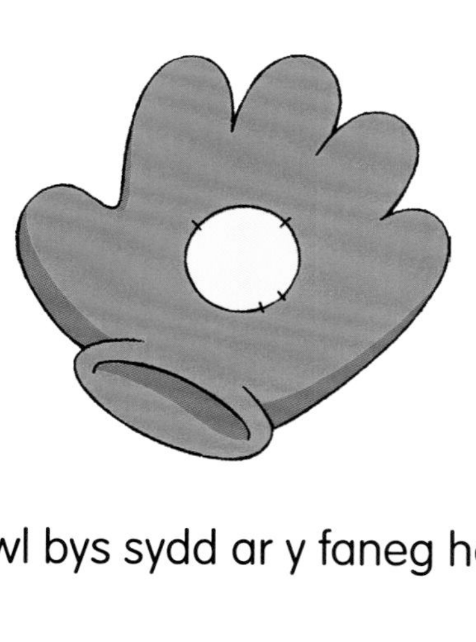

Sawl bys sydd ar y faneg hon?

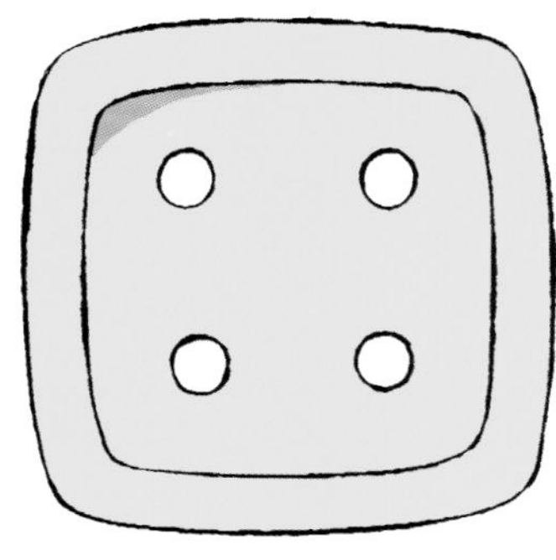

Sawl twll sydd yn botwm hwn?

Rhowch eich bys ar y rhif naw.

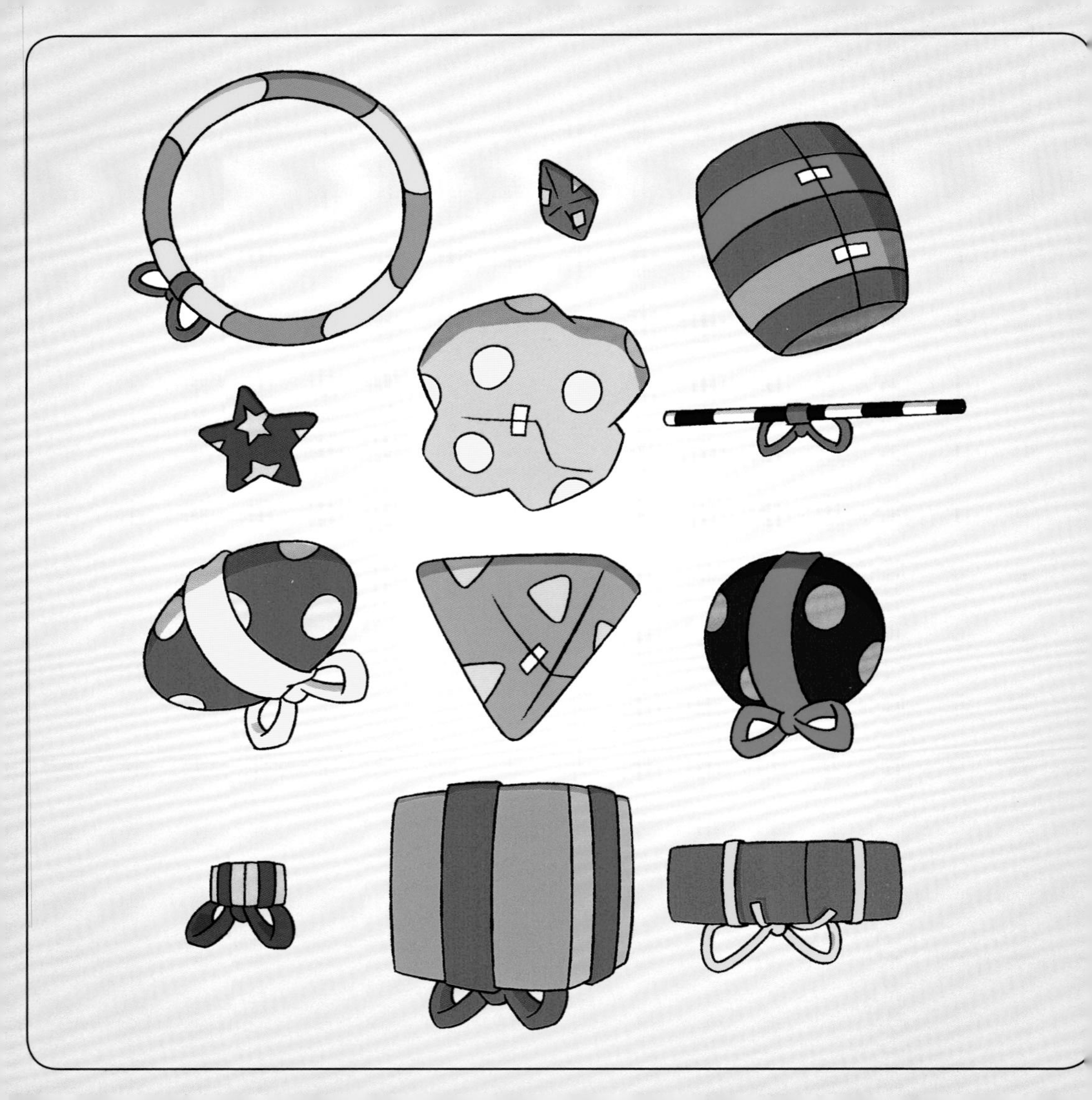

12

Un deg dau o anrhegion

12 Deuddeg / Dwsin o anrhegion

11

Un deg un blodyn

11 Un ar ddeg o flodau / Un blodyn ar ddeg

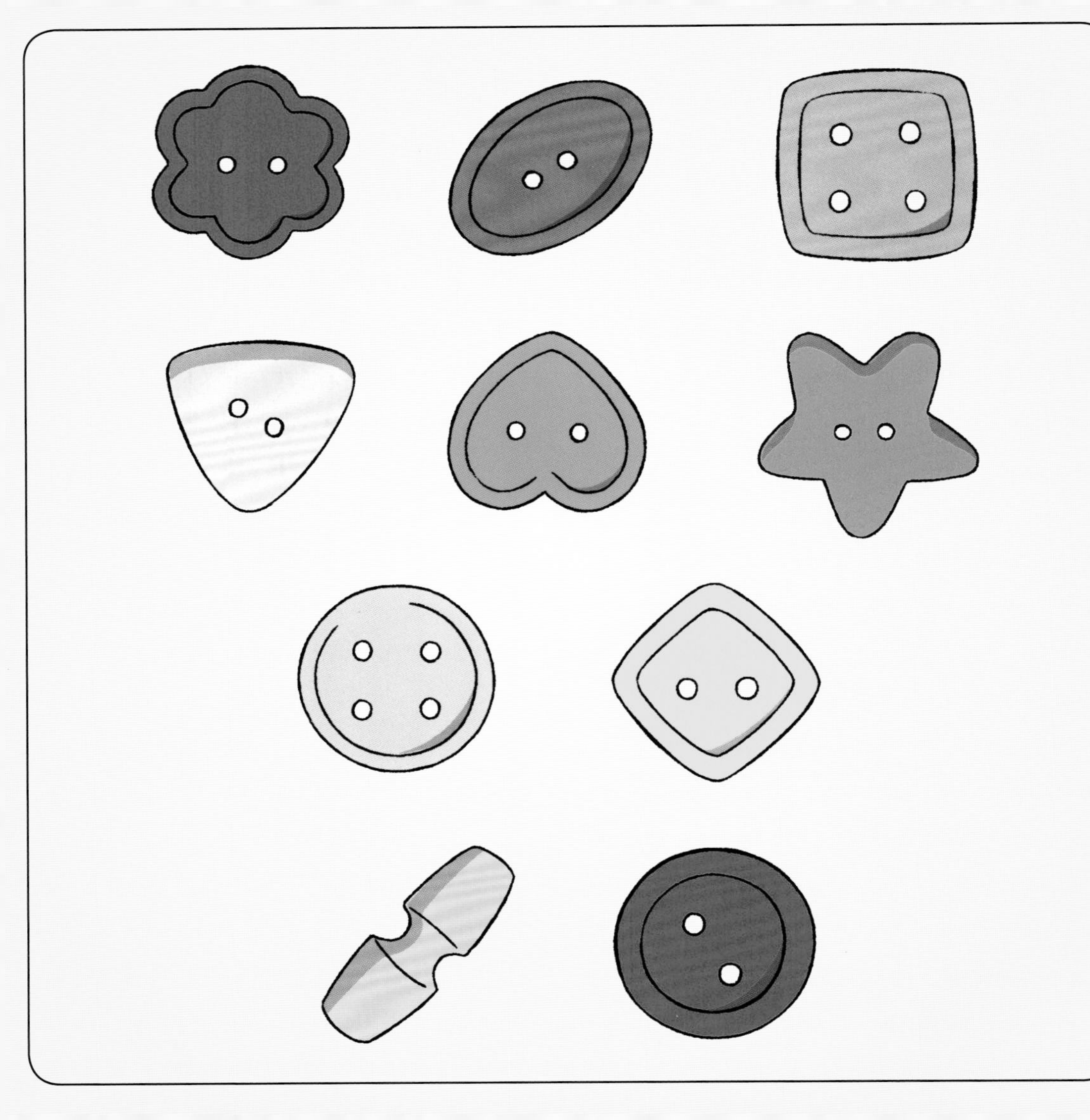

10

Deg

botwm

9

Naw
cacen fach

8

Wyth moronen

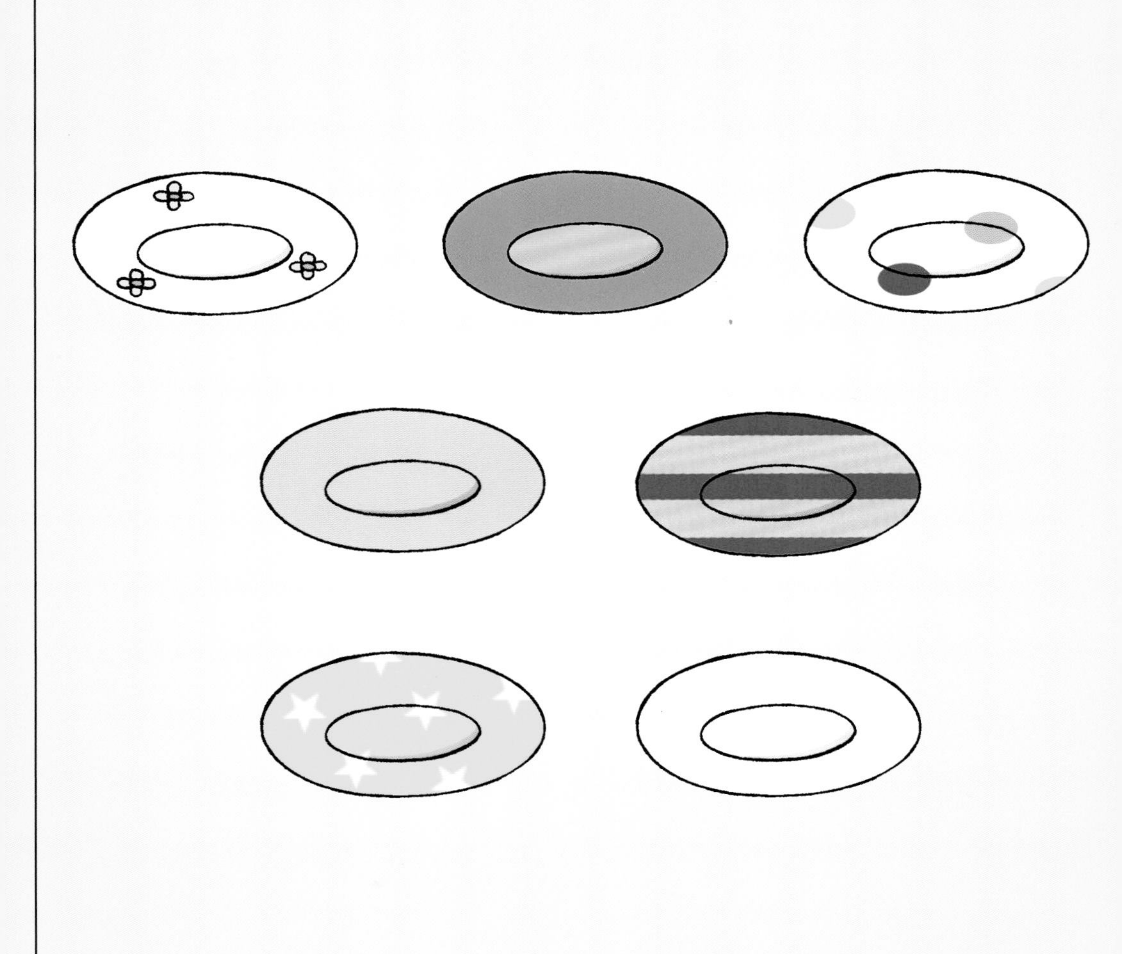

7

Saith
plât

6

Chwech
ymbarél

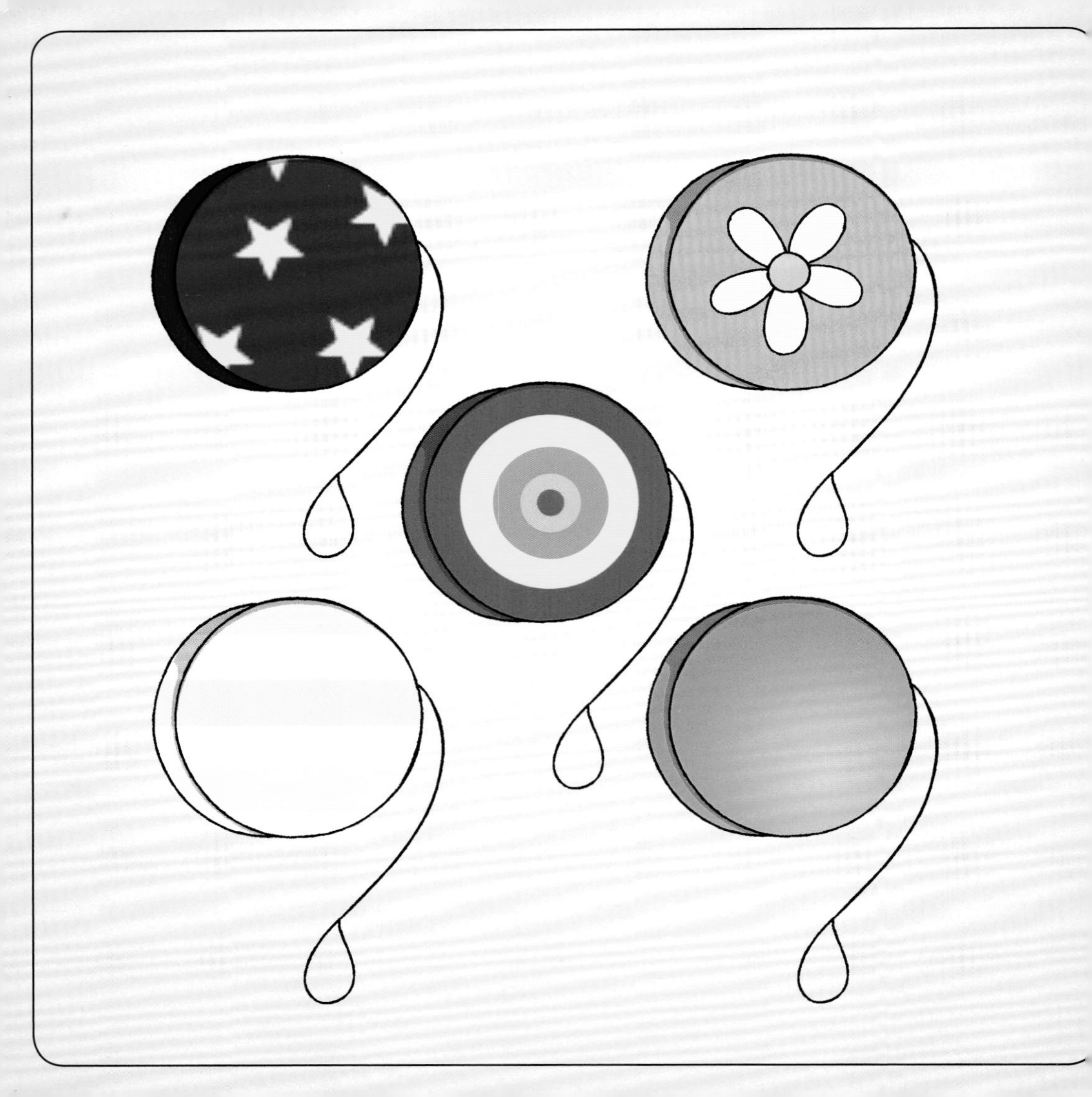

5

Pump
io-io

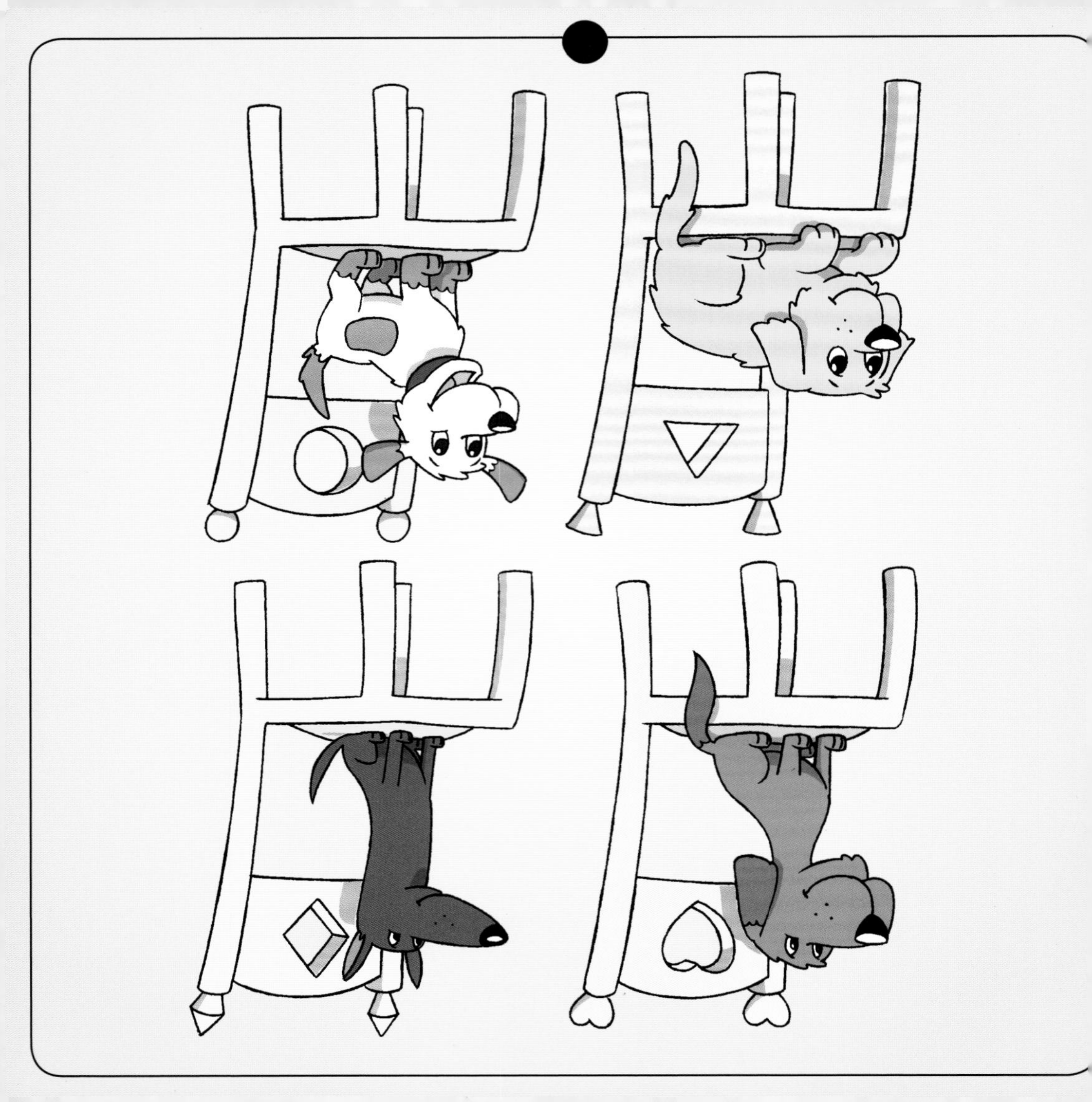

4	4
Pedwar ci	Pedair cadair

3
Tri
beic

3
Tair
cloch

2	2
Dau smotyn	Dwy faneg

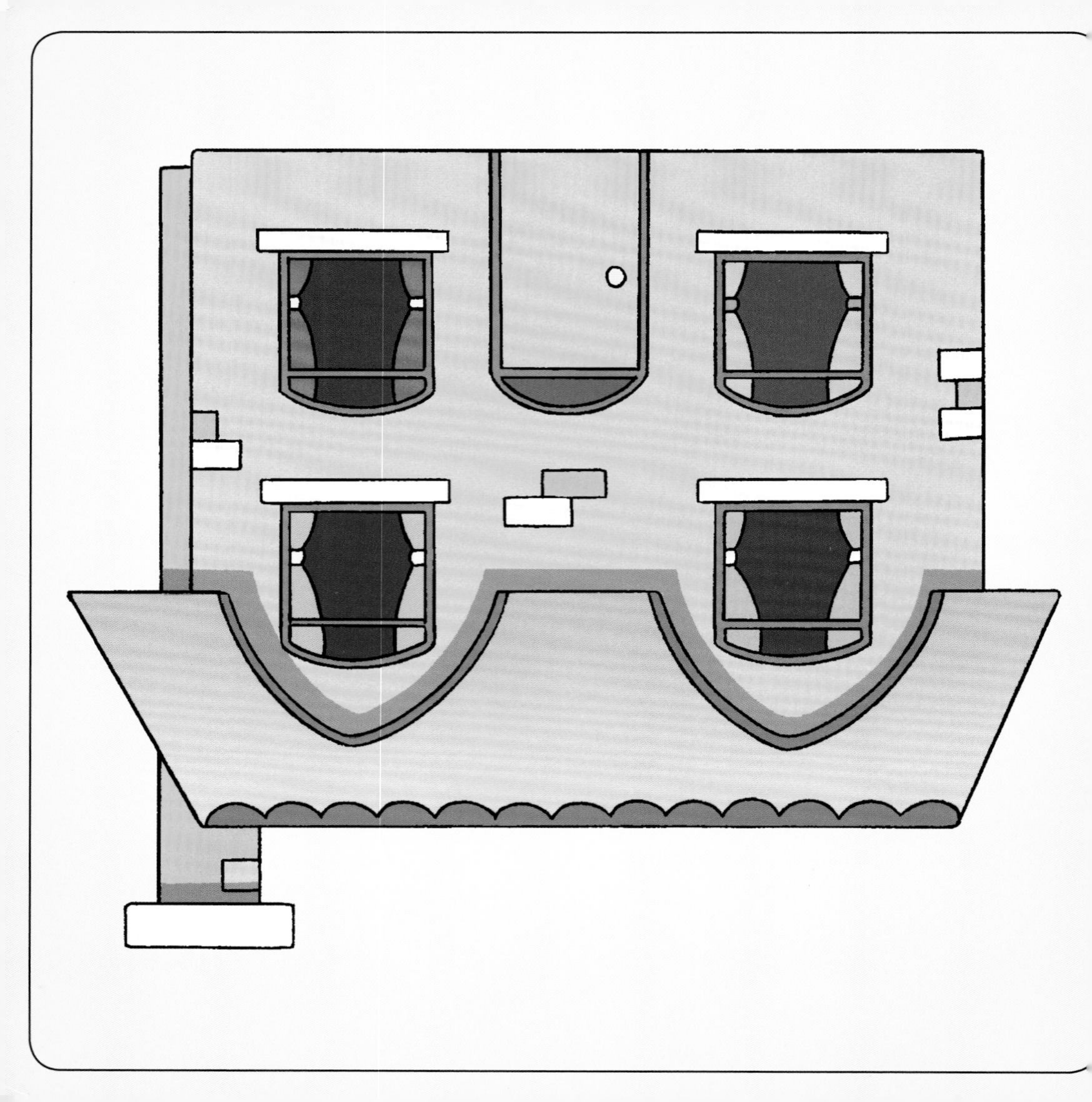